主编　刘月华　储诚志

wǒ yídìng yào zhǎodào tā

我一定要找到她……

I really want to find her...

原创　温金海

Yuehua Liu and Chengzhi Chu
with Jinhai Wen

图书在版编目（CIP）数据

我一定要找到她……/刘月华，储诚志主编. —北京：北京大学出版社，2007.11

（《汉语风》中文分级系列读物. 第一级：300词级）

ISBN 978-7-301-07905-8

I. 我… II. ①刘… ②储… III. 汉语—阅读教学—对外汉语教学－自学参考资料 IV.H195.4

中国版本图书馆 CIP 数据核字（2007）第166894号

书　　名：我一定要找到她……
主　　编：刘月华　储诚志
原　　创：温金海
责任编辑：沈浦娜　李　凌
插图绘制：北京国美嘉誉文化艺术有限公司
美术设计：包　丹　李少东
标准书号：ISBN 978-7-301-07905-8/H · 1178
出版发行：北京大学出版社
地　　址：北京市海淀区成府路205号　100871
网　　址：http://www.pup.cn
电子信箱：zpup @ pup.pku.edu.cn
电　　话：发行部 62750672　编辑部 62754144
　　　　　邮购部 62752015　出版部 62754962
印 刷 者：北京宏伟双华印刷有限公司
经 销 者：新华书店
　　　　　880毫米 × 1230毫米　32开本　2.125印张　24千字
　　　　　2007年11月第1版　2007年11月第1次印刷
定　　价：15.00元（含1张录音CD）

刘月华

毕业于北京大学中文系。原为北京语言学院教授，1989年赴美，先后在卫斯理学院、麻省理工学院、哈佛大学教授中文。主要从事现代汉语语法，特别是对外汉语教学语法研究。近年编写了多部对外汉语教材。主要著作有《实用现代汉语语法》（合作）、《趋向补语通释》、《汉语语法论集》等，对外汉语教材有《中文听说读写》（主编）、《走进中国百姓生活——中高级汉语视听说教程》（合作）等。

储诚志

夏威夷大学博士，戴维斯加州大学东亚语文系中文部主任，校第二语言习得方向博士课程联合委员会主席，语言学系研究生（硕博士）导师组成员。主要专业兼职为全美中文教师学会常务理事和加州中文教师协会副会长。曾在斯坦福大学、北京语言学院等学校任教多年。研究领域为汉语语言学，认知语义学，汉语L2的教学和习得，语料库和计量语言学，以及电脑技术在汉语教学中的应用。发表中英文学术论文20余篇，专著《位移事件在中文里的认知和表达》即将出版；主持完成"汉语中介语语料库系统"和中文L2教材编写软件"中文助教（ChineseTA）"等多个中文L2研究项目。

温金海

1984年毕业于厦门大学中文系。现居北京。中国作家协会会员，中国作家协会第六次、第七次全国代表大会代表。主要作品有长篇小说《闯黑道》、《中关村进行曲》、《封杀》等，散文集《爱心永存》，纪实文学《谁来撑起明天的中国》、《让生活充满金色阳光》等。

Yuehua Liu

A graduate of the Chinese Department of Peking University, Yuehua Liu was Professor in Chinese at the Beijing Language and Culture University. In 1989, she continued her professional career in the United States and had taught Chinese at Wellesley College, MIT, and Harvard University for many years. Her research concentrated on modern Chinese grammar, especially grammar for teaching Chinese as a foreign language. Her major publications include *Practical Modern Chinese Grammar* (co-author), *Comprehensive Studies of Chinese Directional Complements*, and *Writings on Chinese Grammar* as well as the Chinese textbook series *Integrated Chinese* (chief editor) and the audio-video textbook set *Learning Advanced Colloquial Chinese from TV* (co-author).

Chengzhi Chu

Ph.D., University of Hawaii. Chu is Assistant Professor and Coordinator of the Chinese Language Program at the University of California, Davis, where he also serves as Chair of the Designated Emphasis of Ph.D. Programs in Second Language Acquisition and is a member of the Graduate Faculty Group of Linguistics. He is a board member of the Chinese Language Teachers Association (USA) and Vice President of the Chinese Language Teachers Association of California. He taught at Stanford University and Beijing Language and Culture University for many years. He has published more than 20 articles on topics in Chinese linguistics, Chinese pedagogy, and cognitive semantics, and has a forthcoming book on motion conceptualization and representation in Chinese. He was PI of two major software projects in Chinese pedagogy and acquisition: *ChineseTA* and the *Corpus of Chinese Interlanguage*.

Jinhai Wen

Graduated from Xiamen University and now living in Beijing, Wen is a professional Chinese writer. He is a member of the All-China Writers Association and was selected as a represent-ative of the 6th and 7th China's Writers Congresses. His publications include the novels *Get into the Underworld, Zhongguocun March*, and *Force-out,* prose collection *Love Forever*, and reportages *Who will Prop up China Tomorrow* and *Let the Life be Full of Sunshine*.

为所有中文学习者（包括华裔子弟）编写的
第一套系列化、成规模、原创性的大型分级
轻松泛读丛书

《汉语风》（*Chinese Breeze*）分级系列读物简介

《汉语风》（*Chinese Breeze*）是一套大型中文分级泛读系列丛书。这套丛书以“学习者通过轻松、广泛的阅读提高语言的熟练程度、培养语感、增强对中文的兴趣和学习自信心”为基本理念，根据难度分为8个等级，每一级8—10册，共60余册，每册8,000至30,000字。丛书的读者对象为大学和中学里从初级（大致掌握300个常用词）一直到高级水平（包括美国AP课程）的中文学生，以及水平在此之间的其他中文学习者。

《汉语风》分级读物在设计和创作上有以下九个主要特点：

一、等级完备，方便选择。精心设计的八个语言等级，能满足不同程度的中文学习者的需要，使他们都能找到适合自己语言水平的读物。八个等级的读物所使用的基本词汇数目如下：

第1级：300基本词	第5级：1,500基本词
第2级：500基本词	第6级：2,100基本词
第3级：750基本词	第7级：3,000基本词
第4级：1,100基本词	第8级：4,500基本词

读者选择适合自己阅读水平的读物，可以先看看读物封底的故事介绍，如果能够读懂故事介绍的大意，说明有能力读懂该本读物；如果读不懂大意，说明该本读物对自己来说太难，应该选择低一级的读物进行阅读。读懂故事介绍以后，再翻看一下书后的生词总表，如果生词总表里的词语大部分都认识，说明该读物对自己来说太容易，应该试着阅读更高一级的读物。

二、题材广泛，随意选读。丛书的内容和话题是青少年学生所喜欢的侦探历险、情感恋爱、社会风情、传记写实、科幻恐怖、神话传说等等方面。学习者可以根据自己的兴趣爱好进行选择，享受阅读的乐趣。

三、词汇实用，反复重现。各等级读物所选用的基础词语是该水平等级的学习者的中文交际中最需要、最常用的。为研制《汉语风》各等级的基础词表，《汉语风》工程首先建立了两个语料库：一个是大规模的当代

中文书面语和口语语料库，一个是以世界上不同地区有代表性的四十余套中文教材为基础的教材语言库。然后根据不同的交际语域和使用语体对语料样本进行分层标注，再根据语言学习的基本阶程对语料样本分别进行分层统计和综合统计，最后得出符合不同学习阶程需要的不同的词汇使用度表，以此作为《汉语风》等级词表的基础。此外，《汉语风》等级词表还参考了美国、英国和中国内地、台湾、香港等所建的十余个当代中文语料库的词语统计结果。以全新的理念和方法研制的《汉语风》分级基础词表，力求既具有较高的交际实用性，也能与学生所用的教材保持高度的相关性。此外，《汉语风》的各级基础词语在读物中都通过不同的语境反复出现，以促进语言的学习。

四、易读易懂，生词率低。《汉语风》严格控制读物的词汇分布、语法难度、情节开展和文化负荷，使读物易读易懂。在较初级的读物中，生词的密度严格控制在不构成理解障碍的 1.5% 到 2% 之间，而且每个生词（本级基础词语之外的词）在一本读物中初次出现的当页用脚注做出简明注释，并在以后每次出现时都用相同的索引序号进行通篇索引，篇末还附有生词总索引，以方便学生查找，帮助理解。

五、作家原创，情节有趣。《汉语风》的故事以原创作品为主，多数读物由专业作家为本套丛书专门创作。各篇读物力求故事新颖有趣，情节符合中文学习者的阅读兴趣。丛书中也包括少量改写的作品，改写也由专业作家进行，改写的原作一般都特点鲜明、故事性强，通过改写降低语言难度，增加了作品的可读性。

六、语言自然，地道有味。读物以真实自然的语言写作，不仅避免了一般中文教材语言的枯燥和“教师腔”，还力求鲜活有味。

七、插图丰富，版式清新。读物在文本中配有丰富的、与情节内容自然融合的插图，既帮助理解，也刺激阅读。读物的版式设计清新大方，富有情趣。

八、练习形式多样，附有习题答案。读物设计了不同形式的练习以促进学习者对读物的多层次理解；所有习题都在书后附有答案，以方便查对，利于学习。

九、配有录音光盘，两种语速选择。各册读物所附光盘上的故事录音（MP3 格式），有正常语速和慢速两个语速选择，学习者可以通过听的方式轻松学习、享受听故事的愉悦。

《汉语风》建有专门网站，网址为 www.hanyufeng.com（英文版 www.chinesebreeze.com.cn）。请访问该网站查看《汉语风》各册的出版动态，购买方式，可下载的补充练习，以及对教师和学生的使用建议等信息。

For the first time ever, Chinese has an extensive series of enjoyable graded readers for non-native speakers and heritage learners of all levels

ABOUT Hānyǔ Fēng (*Chinese Breeze*)

Hānyǔ Fēng (*Chinese Breeze*) is a large and innovative Chinese graded reader series which offers over 60 titles of enjoyable stories at eight language levels. It is designed for college and secondary school Chinese language learners from beginning to advanced levels (including AP Chinese students), offering them a new opportunity to read for pleasure and simultaneously developing real fluency, building confidence, and increasing motivation for Chinese learning. Hānyǔ Fēng has the following main features:

☆ Eight carefully graded levels increasing from 8,000 to 30,000 characters in length to suit the reading competence of first through fourth-year Chinese students:

Level 1: 300 base words	Level 5: 1,500 base words
Level 2: 500 base words	Level 6: 2,100 base words
Level 3: 750 base words	Level 7: 3,000 base words
Level 4: 1,100 base words	Level 8: 4,500 base words

To check if a reader is at one's reading level, a learner can first try to read the introduction of the story on the back cover. If the introduction is comprehensible, the leaner will have the ability to understand the story. Otherwise the learner should start from a lower level reader. To check whether a reader is too easy for oneself, the learner can skim the vocabulary (new words) index at the end of the text. If most of the words on the new word list are familiar to the learner, then she / he should try a higher level reader.

☆ Wide choice of topics, including detective, adventure, romance, fantasy, science fiction, society, biography, legend, horror, etc. to meet the diverse interests of adult and young adult learners.

☆ Careful selection of the most useful vocabulary for actual communication in modern standard Chinese. The base vocabulary used for writing each level was generated from sophisticated computational analyses of very large written and spoken Chinese corpora as well as a language databank of over 40 commonly used or representative Chinese textbooks in different countries.

☆ Controlled distribution of vocabulary and grammar as well as the deployment of story plots and cultural references for easy reading and efficient learning, and highly recycled base words in various contexts at each level to maximize language development.

☆ Easy to understand, low new word density, and convenient new word glosses and indexes. In lower level readers, new word density is strictly limited to 1.5% to 2%. All new words are conveniently glossed with footnotes upon first appearance and also fully indexed throughout the texts as well as at the end of the text.

☆ Mostly original stories providing fresh and exciting material for Chinese learners (and even native Chinese speakers).

☆ Authentic and engaging language crafted by professional writers teamed with pedagogical experts.

☆ Fully illustrated texts with appealing layouts that facilitate understanding and increase enjoyment.

☆ Including a variety of activities to stimulate students' interaction with the text and answer keys to help check for detailed and global understanding.

☆ Audio CDs in MP3 format with two speed choices (normal and slow) accompanying each title for convenient auditory learning.

Please visit the Chinese Breeze (Hànyǔ Fēng) website at www.chinesebreeze.com.cn (or www.hanyufeng.com for its Chinese version) for all the released titles, purchase information, downloadable supplementary exercises, and suggestions about how to integrate Hànyǔ Fēng (Chinese Breeze) readers into your Chinese language teaching or learning.

目 录

Contents

主要人物和主要地点

Main Characters and Main Places

罗斯教授 Luósī jiàoshòu: Professor Ross

戴伟 Dàiwěi: A graduate student at a US university

杰夫 Jiéfū: A graduate student at a US university

秋田 Qiūtián: A graduate student at a US university

吉玛 Jímǎ: A Chinese girl who is a university graduate

珍珠湖 Zhēngzhū Hú: Pearl Lake
云南 Yúnnán: Yunnan Province (in south-west China)
昆明 Kūnmíng: Kunming , capital city of the Yunnan province
丽江 Lìjiāng: A historic town in Yunnan
北京 Běijīng: You know it!

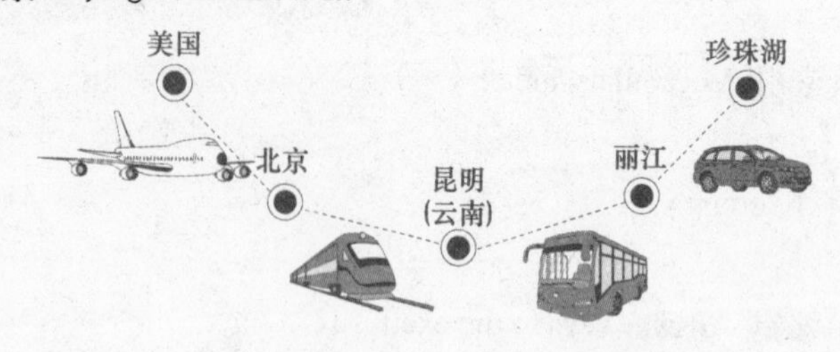

文中所有专有名词下面有下划线，比如：吉玛、珍珠湖
(All the proper nouns in the text are underlined, such as in 吉玛、珍珠湖)

1. 一个女孩的照片

戴伟第一次看到照片，觉得照片上的那个女孩太漂亮了。这是罗斯教授[1]拍[2]的照片。今年一月，罗斯教授[1]去了一次中国。回到美国几个月以后[3]，他生病[4]去世[5]了。昨天他的孩子拿着一些照片，找到戴伟，说："我在爸爸的一本书里看到这些照片，还有他给你们写的信。你们去中国的时候，他请你们去看一个人。"

戴伟拿着照片和信看了看，照片上是个二十多岁的女孩，长得非常好看。照片上有山[6]，还有一个湖[7]，也很好看，但是那儿不像一个公园。罗斯教授[1]的信很短："戴伟、杰夫、秋田：这是我在中国拍[2]的照片，我很想再去一次中国，帮这个中国女孩做些事。但是我身

1. 教授 jiāoshòu: professor
2. 拍 pāi: take pictures
3. 以后 yǐhòu: after, later, in the future
4. 生病 shēngbìng: fall ill
5. 去世 qùshì: die, pass away
6. 山 shān: hill, mountain
7. 湖 hú: lake

体不好，不能去了。以后[3]你们去中国旅行的时候，请你们找时间去看看她吧……”信没有写完。

这个漂亮女孩是谁？她叫什么名字？罗斯教授[1]在哪儿认识她的？他为什么叫他们去中国找她？这些戴伟都不知道。

中午吃饭的时候，戴伟看见杰夫和秋田，他让他们看了照片和信以后[3]，问他们："你们知道这个女孩吗？教授[1]跟你们说过她吗？"

杰夫和秋田都是戴伟的同学，也是他的好朋友，他们一起上大学，都是罗斯教授[1]的学生。

杰夫说："我不知道这个女孩的名字，也不知道她在哪里。但是，罗斯教授[1]今年一月从中国回来的时候，他说他在北京的时间很短，他用了几天时间去别的[8]地方看一个女孩。他说以后[3]还要去看她。"

"这个女孩是做什么的？罗斯教授[1]为什么还想去看她？"戴伟问。

"罗斯教授[1]说这个女孩的工作很有意思，但是是什么工作我也不知道。"杰夫说。戴伟拿着照片又看了一会儿，杰夫问他："戴伟，你想去中国找她吗？"

戴伟说："罗斯教授[1]是我们的老师，他叫我们去中国的时候找这个女孩，我想一定有一些很有意思的事情[9]，我们应该去。"

杰夫看着戴伟，问："你是不是有点儿喜欢这个女孩了？"

戴伟笑[10]了一下，说："这个女孩太

8. 别的 biéde: else, other
9. 事情 shìqing: thing, matter
10. 笑 xiào: smile, laugh

漂亮了，看了她的照片以后[3]，我就常常想到她。我觉得，她很像我以前的女朋友。两个星期以后[3]学校[11]就放假[12]了，我要去中国旅行，到中国以后我打算去找她。”

杰夫说：“我也很想认识这个女孩，她真的很漂亮。我以前没有去过中国，我们一起到中国旅行，一起去找这个女孩，好不好？罗斯教授[1]说这个女孩做的工作很有意思，我也想知道她做的是什么工作。”

11. 学校 xuéxiào: school
12. 放假 fàngjià: be on holidays or vacation

"太好了！我们一起去。秋田，你呢？你想跟我们一起去吗？"戴伟问。

秋田想了想说："我们不知道这个女孩的名字，也不知道她在哪里，要找到她太难了。中国太远，去一次要用很多时间，很多钱。我没有时间，也没有那么[13]多钱。放假[12]的时候我打算找个新工作。我不想去，你们去吧。"

戴伟和杰夫马上开始做旅行的准备。他们从图书馆借了几本介绍中国的书，还看了一些介绍中国的电影和电视。这些天，他们天天都在想应该先到哪儿，后到哪儿，要带什么东西去。

13. 那么 nàme: so, so much

两个人常常到晚上一点多才[14]睡觉。又要上课，又要准备旅行，他们真的太忙了，但是想到要去中国见那个漂亮女孩了，两个人都觉得很有意思。

5 秋田不打算跟他们一起去中国，可是他常常问他们：准备得怎么样了？什么时候走？坐什么飞机？带什么东西去？他问了很多很多。戴伟想，秋田不想去中国，为什么要问这么多问题？

Want to check your understanding of this part?
Go to the questions on page 49.

2. 我一定要找到她……

10 两个星期以后[3]，课上完了，考试也完了，戴伟和杰夫开始了他们的旅行。六月二十五号这一天，他们一起坐飞机去中国。到了飞机上，他们看见秋田已经坐在那里了。戴伟跑过去问："你说

15 过不去中国，为什么也来了？来得比我

14. 才 cái: not... until (implying late)

们还早？”

秋田笑[10]了笑[10]，说：“罗斯教授[1]也让我来呀[15]！还有……因为那个中国女孩太漂亮了！去中国旅行，还会认识一个漂亮的女孩子，一定很有意思！我想这次旅行会很快乐。这样的好事，我也要参加。所以，我就来了。”

戴伟听了很高兴，对他说：“你能参加太好了！我们是好朋友，一起旅行多快乐。我们都没去过中国，中文也说得不太好，三个人一起走，方便多了。”

秋田看了他一下，没有说话。过了一会儿，秋田问：“戴伟，你真的很喜

15. 呀 ya: = 啊 a mood particle

欢那个女孩吗？”

“真的很喜欢。因为她太漂亮了，还有，她像我以前的女朋友。你知道，我以前的女朋友也是中国人。我跟她认识三年了，可是去年[16]，因为我说话说错了，她很不高兴，就不再跟我见面了。可是我还常常想她。我想，我再找女朋友，还要找一个中国女孩。所以，我一定要找到她……”

“杰夫，你呢？你也真的很喜欢那个女孩吗？”秋田看着杰夫，问他。

杰夫说：“我也喜欢。那么[13]漂亮的女孩，我以前没有见过。所以罗斯教授[1]让我们去找她，我很高兴。我要认识那个女孩，也想知道她做什么工作。所以，我一定要找到她……”

“哎呀[17]，那真有问题！”秋田说。

“什么问题？”戴伟和杰夫一起问。

秋田说：“我也真的很喜欢那个女孩。我跟戴伟一样，第一次看到她的照片，就想见到她。所以，我一定要找到

16. 去年 qùnián: last year
17. 哎呀 āiyā: expressing surprise or amazement, or perplexity

她……。你们说，我们三个人都喜欢一个女孩，这不是问题吗？”

听了秋田的话，戴伟也觉得这件事很难办[18]。他还想到了一个新问题，他说:“我们每[19]个人都喜欢那个女孩，可是，她不一定喜欢我们，要是[20]我们三个人她都不喜欢，那怎么办[21]?”

“你怎么知道我们三个人她都不喜欢？”秋田不太高兴地说。

“我是说‘要是[20]’这样……”戴伟说。

杰夫想了一下，说：“你们看这样好不好：我们先去找她，不要想着‘要是[20]’‘要是[20]’。我们三个人比一比：谁先看到她，谁就能对她说喜欢她，谁就是最幸福[22]、最快乐的人。后看到她的人，就不能说喜欢她了。怎么样？”

戴伟说:“好！就这样。罗斯教授[1]让我们去帮助那个女孩，要是[20]她已经有了男朋友，我们就去看看她做什么工作，帮助她一下也不错。”

18. 办 bàn: do, handle, tackle
19. 每 měi: every, each
20. 要是 yàoshi: if, suppose, in case
21. 怎么办 zěnmebàn: What to do?
22. 幸福 xìngfú: happy, be blessed

"好，就这样。"秋田也说。

在飞机上，他们一会儿听音乐，一会儿看书，一会儿吃东西。12个小时以后[3]，他们到了北京，非常高兴。那天晚上，他们三个人就住在北京。

5

Want to check your understanding of this part?
Go to the questions on page 49.

3. 照片上的女孩在哪里

北京的人真多啊，在街[23]上，他们看见男人，女人，老人，孩子，哪儿都是人。可是那个女孩在哪里？到哪儿能找到她？他们来到街[23]上，拿着照片问了很多人：“你知道这个照片上的地方在哪儿吗？”但是，没有人知道照片上的地方在哪儿。大家都说：“你们第一次来中国，中文也说不好，还不知道那

5

23. 街 jiē: street

个女孩叫什么名字，住在什么地方，要找到那个女孩太难了。”

杰夫和秋田听了，觉得他们一定找不到那个女孩，就说：“我们别找了，漂亮的女孩很多，为什么一定要找她？我们在北京玩几天吧，玩几天以后[3]就回国。”

但是戴伟还是想找，他觉得一定能找到那个女孩。杰夫和秋田睡觉的时候，戴伟又拿着照片问了很多人。天已经很晚了，他还在找人问。他问到了一个大学老师，那个老师对他说：“你最好[24]问常常旅行的人，他们去过的地方多，知道的也多。我认识一位[25]张先生，他很喜欢旅行，去过中国很多地方。你去找他吧。”那个老师告诉了他张先生的电话。戴伟对那位[25]老师说：“太谢谢您了！”

戴伟马上就给张先生打了一个电话，张先生说第二天上午在家里等着他们。第二天，他们很早就坐公共汽车去

24. 最好 zuìhǎo: had better, it would be best if
25. 位 wèi: a classifier used (respectfully) before people

找张先生。张先生住在公园后边的高楼里，房子不大，家里有很多照片。

见到张先生以后[3]，戴伟拿出有那个女孩的照片，问张先生：“您知道这是什么地方吗？”张先生拿着照片看了一会儿，说：“这个地方应该在云南，对，照片上这样的山[6]和这样的湖[7]，一定在云南！可是，在云南哪个地方，我就不知道了。”

戴伟说：“谁会知道这个地方？”

张先生想了想说：“我介绍你们去云南找我的一个朋友，他姓李，也是个

喜欢旅行的人。他家就在云南，去过云南很多地方。你们去问他。”张先生把李先生的名字和电话告诉了他们。

戴伟高兴地说：“太好了，谢谢您！”

张先生说：“不用客气，你们来到中国，就是我们的客人。还要我做什么，就打电话给我。再见，你们慢走！”

下午，戴伟、杰夫和秋田坐飞机来到云南的昆明。昆明的天气让人觉得很舒服，不像北京那么[13]热。下了飞机，戴伟马上给李先生打电话。李先生说：“刚才北京的张先生已经给我打电话了，告诉我你们要来找一个地方。我家住得很远，你们很难找到。这样吧，你们先找个住的地方，告诉我，我去找你们。”

他们就找了个住的地方，把地址告诉了李先生。等了一个半小时，李先生来了。他有四十多岁，长得很高。见了面，他看了一下照片，说：“这个地方应该在丽江。但是我不知道在丽江的什么地方。这样吧，你们到了丽江，先找

马小姐，问问她。她是我的好朋友，但是我们也好久[26]不见了。”李先生把马小姐的名字和电话告诉他们，又说：“丽江的天气比这里冷，你们要多带几件衣服，别感冒了。”

戴伟说：“谢谢您！我们会带一些感冒药的。”

李先生说：“不客气，有事打电话，再见！”

第二天上午，他们三个人坐汽车去丽江。车上有很多中国人，也有几个外国人。丽江很远，汽车一共开了六个半小时，到丽江的时候已经是下午了。他

26. 久 jiǔ: for a long time

们不知道去哪儿找马小姐，可是刚下车，就看见有个女的走过来，介绍说：“我是马小姐，你们是不是戴伟、杰夫和秋田？”

5 他们忙说：“对，我们就是。”他们就像看见了好久[26]不见的朋友一样高兴。

马小姐穿着一件红衣服，很好看。她说：“刚才李先生给我打电话了。听说[27]你们要来，我马上就到这 10 里接你们。”

27. 听说 tīngshuō: hear of

戴伟觉得马小姐真是个好人，说完“谢谢”，很快拿出照片给她看。马小姐说：“我认识那个地方，这个地方的名字叫珍珠湖[7]，我去过。”

三个人听了都非常高兴，说：“快告诉我们，去那个地方怎么走？”

马小姐介绍说：“珍珠湖[7]很远，从这里去还要四五个小时。去珍珠湖[7]有两条[28]路[29]，一条[28]是大路[29]，一条[28]是小路[29]。你们可以坐汽车走大路[29]，到

28. 条 tiáo: a classifier for road etc
29. 路 lù: road, route

了山[6]下，车不能开了，再走进去。这样走舒服一些，不会太累。时间不早了，今天晚上你们就住在丽江，明天再去珍珠湖[7]吧。"

5 戴伟问："去珍珠湖[7]的人多吗？"

马小姐说："不多。那是一个很小的地方，很多人都不知道那个地方。知道那个地方的中国人也很少。你们为什么一定要去那里？"

10 戴伟说："我们去找照片上的这个女孩。"

马小姐问："是吗？她叫什么名字？在那里做什么？"

戴伟说："不知道。老师让我们来找她，我们觉得她很好看，又都很喜欢

15 她，就来了。"

马小姐又问："这是谁拍[2]的照片？"

"我们的老师罗斯教授[1]。几个月前，罗斯教授[1]第一次来中国，他没在

20 北京玩，但是到那个女孩住的这个珍珠湖[7]住了好几天，给这个女孩拍[2]了不少

照片。我们也不知道，罗斯教授[1]为什么要来这个小地方？他怎么会认识珍珠湖[7]的一个女孩？”

马小姐说：“听你们这样说，我想这件事一定很有意思。” 5

Want to check your understanding of this part?
Go to the questions on page 50.

4. 秋田不见了

晚上，丽江的天气真的有点儿冷，他们都多穿了一件衣服。吃饭的时候，有个男的听说[27]他们要去珍珠湖[7]，走过来对他们说：“去珍珠湖[7]没有公共汽车，坐我的车去怎么样？坐车去很舒服，我知道怎么走。” 10

戴伟问：“送我们一次，要多少钱？”

那个男的说：“六百块。”

“六百块？啊，太贵了！便宜点儿， 15

行不行？”杰夫说。

那个男的说：“六百块不贵，已经很便宜了，不能再便宜了。”

杰夫笑[10]着对秋田说：“走着去太累，我们还是坐车去吧。秋田，听说[27]你爸爸、妈妈都很有钱[30]，我们三个人你最有钱[30]，这六百块钱你给，怎么样？”

秋田马上说：“不行，不行！怎么能叫我一个人给钱？大家都得给，一人二百块，你们快拿钱来！”

戴伟和杰夫一人拿出二百块钱。秋田拿着钱，对那个男的说：“这些钱我

30. 有钱 yǒuqián: be in the money, rich, wealthy

看看。”

杰夫想了想，觉得一个人在这里等，也没意思[33]，跟戴伟一起，两个人买了一些水和吃的东西，就开始走了。

刚开始的时候，他们走得很快，后来[34]就慢了。又过了一会儿，杰夫叫：“我太累了！要是[20]知道这个地方这么难找，这么远，我就不来了。”

戴伟让他喝了点儿水，喝完又往前走。两人都觉得很累，走得比以前慢多了。

Want to check your understanding of this part?
Go to the questions on page 50.

33. 没意思 méiyìsi: boring, not interesting
34. 后来 hòulái: later, afterwards

5. 带书给那个女孩

中午，他们来到了山[6]下。这里有个小房子，房子前边坐着一个老人，像有六十多岁了。戴伟觉得应该先问一下老人，去珍珠湖[7]是不是往前边走？走错了没有？所以就走到老人那里，客气地说："请问，珍珠湖[7]是从这里走吗？"

老人也客气地说："对，就是从这里走，过了大山[6]就到了。"

戴伟说："谢谢您！"

他们刚要走，老人又对他们说："等一等，请你们帮着带些东西。"

戴伟问："让我们带什么？"

老人说"一些书。请你们跟我来。"

戴伟跟着他走到房子里，那里有很多书，上面[35]写着一些字："云南，丽江，珍珠湖[7]，吉玛收[36]"。

老人说："这是一些朋友从很远的地方寄来的书。珍珠湖[7]太远，去那里很不方便。东西寄到这里，没有人来拿，只[37]能请去那里的人帮着带去。"

杰夫走过来，不高兴地说："我们的东西很多，已经很重了，不能带。"

老人说："去珍珠湖[7]的人很少，你们还是帮一个忙吧。那里的孩子要用这些书。我知道你们东西很多、很重，走得也很累，但是请你们帮着带一些吧，那里的孩子会谢谢你们的。"

戴伟说："好吧，我们帮着带一些。"他一下子[38]拿了二十多本书，又让杰夫帮着拿十本。戴伟问："到珍珠

35. 上面 shàngmian: above, over, on top or surface of
36. 收 shōu: receive, accept
37. 只 zhī: only, just, merely
38. 一下子 yīxiàzi: at one blow, at a draught; right off

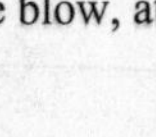

湖[7]以后[3]，这些书送给谁呢？”

老人说：“给谁都行啊，他们都会给吉玛送去的。”

戴伟又问：“吉玛？她是谁？”

老人说：“她啊，你们到了那里就知道了！”

杰夫问：“你也让秋田带书了吗？”

老人不懂他的意思：“秋田？秋田是谁啊？”

杰夫说：“秋田是我们的朋友，我们要一起去珍珠湖[7]。但是他坐汽车先走了，比我们走得快。他应该早就到这里了。你没看见他吗？他像我们一样，是外国人，长得不高，穿着一件很短的衣服。”

老人说：“我没看见过这个人。从上午到现在，我都在这里，但是我没有看见他。今天去珍珠湖[7]的只[37]有你们两个人。”

戴伟看看老人，又看看杰夫：“秋田怎么了？他怎么会比我们慢？”

杰夫很高兴，说：“他还没到这里，这太好了！快，我们快走，先去找那个女孩！过一会儿秋田就到了！”

两个人就马上走了。老人在他们后边，说：“你们一定要把书带到那里，不要忘了。”

戴伟说：“不会忘的，我们一定会带到那里！再见！

走了不远，到了一个没有人的地方，杰夫说：“我们只[37]跟他问问路[29]，这个老人就让我们带这么重的书，我不带了！我太累了！”说完，他就把那些书放[39]在了地上。

戴伟说：“不能这样，快把书拿起来！我们来到中国，这么多人帮我们。

39. 放 fàng: put, place; lay aside

我们应该也帮帮他们。”

杰夫说：“你想带你就带吧，我不带！我来中国是要找那个女孩，不是要帮人带书的。对不起，我先走了，我要第一个跟她见面，我要跟她说‘我喜欢你！’”说完，他就跑了，跑得很快。戴伟叫他回来，他不听，很快就跑远了。

戴伟拿起他的书，在他后面[40]走。一个人带三十多本书，非常重，他走得很慢。

Want to check your understanding of this part?
Go to the questions on page 50-51.

40. 后面 hòumian: behind, at the back, in the rear

6. 请现在就带我去见她！

走了一个小时四十分钟[41]，杰夫来到了珍珠湖[7]。他一下子[38]就看出来了，这就是照片上的那个地方。

珍珠湖[7]住着几十家人，这里的房子都不太高，新房子也不多。房子后边是山[6]，山[6]下有一个很大的湖[7]。那一定就叫珍珠湖[7]。这里太漂亮了，住在这里，就像住在最漂亮的公园里一样。

5

41. 分钟 fēnzhōng: minute

杰夫看见房子前边有几个人，就走过去，拿出照片，客气地说："你们好！请告诉我，你们认识照片上这个人吗？她住在这里吗？"

大家看了看照片，又看了看杰夫，说："认识啊，我们都认识她。请问你是谁？找她有什么事吗？"

杰夫说："我叫杰夫，是从外国来的，我的老师让我来这里找她。"

"啊，我知道了，今年一月有一个外国教授[1]来这里找吉玛，他要让吉玛去外国的大学学习。那个教授[1]是你的老师吗？"一个五十多岁的男人看着杰夫，问他。

"对，他是我的老师罗斯教授[1]。请现在就带我去，好吗？我要马上见到她。"杰夫说。

"为什么？你的老师让你带吉玛去外国吗？那可不好，我们的孩子都喜欢吉玛，我们不想让吉玛去外国，吉玛也说她不想去。"那个男人说。

"啊，先生，不，不是这样……怎

么说呢？我……我跟你们一样，我也喜欢吉玛。我从很远的地方来找她，因为我喜欢她。”杰夫告诉那个男人。

“啊？一个外国大学生，喜欢一个中国的女孩，从很远的地方来中国找她？先生，我没听错吧？”那个男人问杰夫。

杰夫说：“没错，我真的喜欢她。我有两个朋友也喜欢她。我们三个人一起来中国。我们说，谁最先找到她，最先和她见面，谁就是最幸福[22]、最快乐的人。现在我第一个来到这里，他们两个都还没到。我要第一个和她见面，要

做最幸福[22]的人！她在哪里？请你们告诉我，马上带我去见她！好吗？谢谢你们了。”

那个男人说：“你说的真有意思！你想见吉玛，你从山[6]下给她带东西了吗？”

“带东西？你是说送给她的礼物吗？对不起，我忘了买礼物。我有钱，这里能买礼物吗？”杰夫问。

“礼物？不，我不是说礼物。你从山[6]下来的时候，没有人让你帮着带东西吗？”

杰夫想了想，说：“对，有个老人让我帮着带书。我想快一点来这儿见吉玛，要是[20]带书就会很累，不能快快地走，所以我没有带。”

听了杰夫的话，那个男人没有再说什么，但是好像[42]有点不高兴的样子。这时候，戴伟拿着三十多本书，慢慢走来了。大家看到他，马上跑过去，接过书。那个男人说：“谢谢，你一个人带这么多书，一定非常累！”

42. 好像 hǎoxiàng: as if, look like, seem

戴伟说："没关系，能帮你们做点儿事，我很快乐。"

那个男人问："先生，你叫什么名字？"

戴伟告诉他："我叫戴伟，从外国来的。"

那个男人说："戴伟先生，你好！我叫王大朋。你来找吉玛，对吧？你帮她带来这么多书，吉玛和孩子们一定很高兴。她现在还在上课，等她上完课，我就带你去见她！"

戴伟问："吉玛在上课？她是个老师吗？"

"是的，她是我们这里的小学老师。"这个叫王大朋的男人说。

"小学老师？但是我的教授[1]说她做的工作很有意思，让我们到中国来找她……"戴伟好像[42]有问题，可是不知道应该怎么说。

"你的老师是今年一月来的罗斯教授[1]吧？事情[9]是这样的——吉玛是北京人，她的爸爸、妈妈都在北京工作。她也是在北京上的大学，是一个非常好的大学。去年[16]，她上完大学以后[3]，打算去外国留学[43]，就是去你们的学校[11]，做罗斯教授[1]的学生。"王大朋介绍说。

"那吉玛为什么没有去我们学校[11]呢？她要是[20]去了多好啊！"听了王大朋的话，戴伟马上说。他想，要是[20]吉玛去了他们学校[11]，他跟吉玛就是同学了，就可以天天看到吉玛了。

王大朋说："戴伟先生，你不知道，我们珍珠湖[7]很漂亮，可是我们的小学没有老师。以前的老师都走了，去外边了，因为我们这里很不方便，在这里

43. 留学 liúxué: study abroad

做老师钱也很少。吉玛去外国以前，她和几个同学一起来珍珠湖[7]旅行，看到这里的小学没有老师，孩子们不能上学[44]，她很不舒服。她想：孩子们现在不上学[44]，以后[3]生活[45]就太难了。她想到这些，就没去外国，来到这里做老师，给孩子们上课了。吉玛来了以后[3]，孩子们又能上学[44]了。他们都很喜欢吉玛，学了不少东西，又会写字，又会唱歌[46]。看到孩子们学得这么好，我们都很高兴。”

44. 上学 shàngxué: go to school, attend school
45. 生活 shēnghuó: life, livelihood; live
46. 唱歌 chànggē: sing (a song)

“啊，吉玛真是个好人!”戴伟说：“所以，山[6]下边的老人让我们带的书，都是给吉玛的学校[11]的，对吧？这些书有中文的，还有英文的，是谁送给他们的？吉玛上课用这些书吗？”戴伟想知道吉玛的很多事，问了很多问题。

王大朋说：“孩子们想看书，但是我们没有钱给孩子们买，珍珠湖[7]也没有图书馆。吉玛就给北京的老师、同学写信，介绍珍珠湖[7]，请大家多帮帮这里的孩子。她的很多老师、同学就常常寄书来，还有人寄衣服来，给这里的孩子穿。因为我们这里没有可以开车的路[29]，北京寄来的书都放[39]在山[6]下，请到这里的人帮我们带。”

“啊，是这样！”戴伟听完，很想马上就见到吉玛。

Want to check your understanding of this part?
Go to the questions on page 51.

7."我还想告诉你……"

这时候，戴伟听见[47]有人在唱歌[46]，唱得非常好听[48]。过了一会儿，他看见一个漂亮女孩和十几个孩子一起，从湖[7]那边走过来。那个女孩就是照片上的人——吉玛。戴伟非常高兴，啊，吉玛，我真的找到你了！

47. 听见 tīngjiàn: hear
48. 好听 hǎotīng: pleasant to hear, melodious

王大朋大叫着对吉玛说："吉玛，有人给你和孩子们带书来了，是个外国人，他想见你！"

吉玛往这里看了看，说："好的，我马上就来。"

王大朋对戴伟说："戴伟先生，想跟吉玛说什么，快找她去吧。你是最幸福[22]、最快乐的人！"

戴伟马上跑到湖[7]边[49]去找吉玛。杰夫也想跑过去，可是他没有去，他想，吉玛现在最喜欢的人一定不是他。

吉玛长得很高，她穿着一件红衣服，比照片上还要好看。戴伟见到她，客气地说："吉玛小姐，你好，我叫戴伟。"

吉玛说："戴伟先生，谢谢你帮我们带书。你很累吧？"

戴伟高兴地说："不累。能帮你们带书，我真的非常快乐。"

吉玛说："谢谢你。你的中文说得不错，学了多少时间了？"

戴伟说："刚学两年。这次来中国，我又学会了一些新的字。"

49. 边 biān: edge, side

几个学生看见来了一个外国人，都走过来，看着戴伟。吉玛说："同学们，这位外国来的先生帮我们带来了新书。你们快去看书吧。"

这些孩子都跑了。戴伟知道，他们和吉玛在一起，过得很快乐。

戴伟说："我刚才听说[27]了你的事，你到这么远的地方来，想你的爸爸、妈妈吗？"

吉玛说："想啊，怎么不想！我想爸爸、妈妈，还想我的弟弟。他们也非常想我。但是，珍珠湖[7]这里的人对我很好，我们就像一家人。他们家里做了好吃[50]的菜，先叫我去吃。我身体不舒服的时候，他们帮我买药、带我看病。他们就像我的爸爸、妈妈、哥哥、姐姐。我喜欢他们，也喜欢这个地方。”

5 戴伟又问：“你认识罗斯教授[1]吧？他来过这里，还给你拍[2]过一些照片。”

吉玛说：“啊，罗斯教授[1]，对，我认识，他是个非常好的人。”

戴伟问：“你们以前就认识？怎么

10 认识的？”

吉玛说：“去年[16]，我打算上完大学以后[3]到外国留学[43]，所以就给罗斯

50. 好吃 hǎochī: good to eat, tasty, delicious

教授[1]写过几次信。罗斯教授[1]觉得我学习不错，叫我做他的学生，还帮我在学校[11]找了一个工作。可是我来珍珠湖[7]旅行以后[3]，就想到这里做老师，没有去外国，我写信把我的打算告诉了罗斯教授[1]，罗斯教授[1]好像[42]有点儿不高兴。上次他来中国，到这里来了。他很想看看珍珠湖[7]，他想知道这个地方有多漂亮，能让我不去外国学习，来这里做老师。"

"真有意思！罗斯教授[1]来这里以后[3]，他怎么想？"戴伟问。

"他在这里住了几天，参观了我们

的教室，听我怎么给孩子们上课。走的时候，他说我来这里做老师是对的，我在做一件非常好的事情[9]。他回国以前，还从北京买了几十本书寄给我们学校[11]。回国以后[3]，他给我写信，说以后[3]还要来这里看我们、帮助我们。”吉玛说。

“可是，你知道吗，罗斯教授[1]已经去世[5]了。”戴伟告诉吉玛。

“我知道。他的女儿上个月写信给我了。我知道罗斯教授[1]工作很累，身体很不好。上次来中国的时候，我看他每[19]天都要吃药。但是我没有想到，他这么快就去世[5]了。罗斯教授[1]真是个好人，我很想他。”吉玛说。

“我是罗斯教授[1]的学生，他去世[5]以前让我和我的两个同学来这里看你，所以我现在来了。我，我还想告诉你……”戴伟想说“我喜欢你”，可是他没有马上说出来。

Want to check your understanding of this part?
Go to the questions on page 51-52.

8. “我也喜欢珍珠湖！”

“你要告诉我什么，戴伟先生？”吉玛问。

“我想告诉你，我来这里找你，因为……因为我喜欢……”

“老师——，老师——，你的电话！”戴伟的话还没有说完，吉玛的一个学生就在很远的地方对她大叫着。

5

“对不起，戴伟先生，我去一下就回来。”吉玛说完就跑着接电话去了。

杰夫看见吉玛跑了，就走了过来，对戴伟说："怎么样？戴伟，告诉吉玛你喜欢她了吗？她是不是不喜欢你，就跑了？这样吧，看我的！她不喜欢你，她会喜欢我的。"

听了杰夫的话，戴伟笑[10]了笑[10]，没有说什么。

这时候，秋田给戴伟打来电话，他在电话里大叫："喂，戴伟，你们在哪儿？快来帮我！今天上午，我因为想早一点儿到珍珠湖[7]，早一点找到那个女孩，让汽车开得太快，开到水里去了。汽车已经坏了，不能开了！我现在要走

着回丽江。”

戴伟笑[10]了，说：“我们现在在珍珠湖[7]，明天就回去了。你在丽江等我们吧，我的同学，好朋友！明天见！”

戴伟对杰夫说了秋田的事，杰夫也笑[10]了：“啊！他想比我们早到珍珠湖[7]，不让我们坐汽车，可是我们两个人来了，只[37]有他不能来了。太好了！让他在丽江等着吧！”杰夫这时候真的非常高兴。他想，吉玛不喜欢戴伟，秋田又不能来，现在只[37]有他可以跟吉玛说他喜欢她了。

这个时候，吉玛打完电话也回来了。“戴伟先生，对不起，让你久[26]等了。刚才我的男朋友打电话来说，他从北京来看我，今天已经坐飞机到了昆明，明天下午就可以到珍珠湖[7]。他来了以后[3]，你们可以认识一下。”

“你说谁？你的男朋友？他明天到珍珠湖[7]？”戴伟听到吉玛的话，马上就不笑[10]了，杰夫也不像刚才那样高兴了。

吉玛说："对，他现在在昆明，明天下午到这里。啊，我忘了，你刚才说要告诉我你喜欢什么，对不起，你请说——"

5 "他是要对你说他喜欢……"杰夫还没说完，戴伟马上就说："对，我喜欢这里，喜欢珍珠湖[7]！我跟你一样，也喜欢珍珠湖[7]！这里太漂亮了！"

听了戴伟的话，吉玛笑[10]了，戴伟

10 和杰夫也笑[10]了，他们三个人都笑[10]了。

Want to check your understanding of this part? Go to the questions on page 52.

To check your global understanding of this reader, go to the questions on page 52.

生词索引

1	教授	jiàoshòu	professor
2	拍	pāi	take pictures
3	以后	yǐhòu	after, later, in the future
4	生病	shēngbìng	fall ill
5	去世	qùshì	die, pass away
6	山	shān	hill, mountain
7	湖	hú	lake
8	别的	biéde	else, other
9	事情	shìqing	thing, matter
10	笑	xiào	smile, laugh
11	学校	xuéxiào	school
12	放假	fàngjià	be on holidays or vacation
13	那么	nàme	so, so much
14	才	cái	not... until (implying late)
15	呀	ya	= 啊 a mood particle
16	去年	qùnián	last year
17	哎呀	āiyā	expressing surprise or amazement, or perplexity
18	办	bàn	do, handle, tackle
19	每	měi	every, each
20	要是	yàoshi	if, suppose, in case
21	怎么办	zěnmebàn	What to do?
22	幸福	xìngfú	happy, be blessed
23	街	jiē	street
24	最好	zuìhǎo	had better, it would be best if
25	位	wèi	a classifier used (respectfully) before people
26	久	jiǔ	for a long time

27	听说	tīngshuō	hear of
28	条	tiáo	a classifier for road etc
29	路	lù	road, route
30	有钱	yǒuqián	be in the money, rich, wealthy
31	最后	zuìhòu	last, final; finally
32	再说	zàishuō	furthermore, besides
33	没意思	méiyìsi	boring, not interesting
34	后来	hòulái	later, afterwards
35	上面	shàngmian	above, over, on top or surface of
36	收	shōu	receive, accept
37	只	zhī	only, just, merely
38	一下子	yīxiàzi	at one blow, at a draught; right off
39	放	fàng	put, place; lay aside
40	后面	hòumian	behind, at the back, in the rear
41	分钟	fēnzhōng	minute
42	好像	hǎoxiàng	as if, look like, seem
43	留学	liúxué	study abroad
44	上学	shàngxué	go to school, attend school
45	生活	shēnghuó	life, livelihood; live
46	唱歌	chànggē	sing (a song)
47	听见	tīngjiàn	hear
48	好听	hǎotīng	pleasant to hear, melodious
49	边	biān	edge, side
50	好吃	hǎochī	good to eat, tasty, delicious

练习

1. 一个女孩的照片 (p.1)

根据故事选择正确答案。Select the correct answer for each of the questions.

（1）谁拍的照片？

a. 罗斯先生　　b. 戴伟

（2）罗斯先生给谁写了一封信？

a. 他的孩子　　b. 他的学生

（3）罗斯先生在信里说了什么？

a. 他要去中国看一个女孩

b. 让他的学生去中国的时候看一个女孩

（4）戴伟、杰夫和秋田知道那个女孩吗？

a. 知道　　b. 不知道

（5）他们三个人谁说不想去中国？

a. 戴伟　　b. 杰夫　　c. 秋田

（6）想去中国的戴伟和杰夫怎么做旅行的准备？

a. 买吃的和用的东西　　b. 看介绍中国的书和电影

2. 我一定要找到她…… (p.6)

读后判断正误。What do you know after reading this part? Tick one box for each sentence.

	Yes	No
（1）在飞机上看到秋田，戴伟很不高兴。	□	□
（2）戴伟、杰夫和秋田中文都说得不错。	□	□
（3）他们在飞机上听音乐、看书、吃东西，觉得很有意思。	□	□
（4）戴伟以前有一个中国女朋友。	□	□
（5）他们三个人都想最先找到那个女孩。	□	□

3. 照片上的女孩在哪里 (p.11)

根据故事的时间重新排列下面句子的顺序。Re-order the following sentences according to the temporal sequence of the story.

Order

_______ a. 下了飞机以后，他们觉得昆明的天气很舒服。

_______ b. 戴伟、杰夫和秋田拿着照片，在北京的街上问谁知道照片上的地方。

_______ c. 李先生说："这个地方应该在丽江。"

_______ d. 一个大学老师告诉戴伟: 他认识一个喜欢旅行的人，那个人可以帮助他。

_______ e. 张先生说："这个地方一定在云南！"

_______ f. 马小姐说："去珍珠湖有两条路。"

4. 秋田不见了 (p.19)

改正下面句子中的错误。Some things stated in the following sentences are wrong. Correct the mistakes.

(1) 坐车去珍珠湖要六百块钱，是秋田给的。

(2) 秋田觉得跟戴伟、杰夫一起坐车不快乐，他一个人坐车去了珍珠湖。

(3) 杰夫觉得珍珠湖太远，走着去太累，所以他没有去。

5. 带书给那个女孩 (p.24)

根据故事选择正确答案。Select the correct answer for each of the questions.

(1) 山下的小房子前边坐着一个什么样的人？

a. 一个老人　　b. 一个女人

(2) 老人让他们帮着带什么东西？

a. 一些水　　b. 一些书

(3) 戴伟和杰夫给吉玛带书了吗？

a. 带了　　b. 没带

(4) 谁要看这些书?

a. 孩子们　　b. 吉玛

(5) 老人告诉他们吉玛是谁了吗?

a. 告诉了　　b. 没告诉

(6) 老人看见秋田了吗?

a. 看见了　　b. 没看见

(7) 杰夫为什么不想带书了?

a. 想第一个见到女孩　　b. 想第一个见到秋田

(8) 戴伟一共带了多少书?

a. 二十多本　　b. 三十本

6. 请现在就带我去见她! (p.29)

读后判断正误。What do you know after reading this part? Tick one box for each sentence.

	Yes	No
(1) 照片上的地方就是珍珠湖。	☐	☐
(2) 一个五十多岁的男人带杰夫去见了那个女孩。	☐	☐
(3) 那个女孩叫吉玛,是珍珠湖的小学老师。	☐	☐
(4) 珍珠湖很漂亮,可是这里的人生活很困难。	☐	☐
(5) 每个到珍珠湖来的人都要送书给这个小学。	☐	☐

7. "我还想告诉你……" (p.37)

根据故事选择正确答案。Select the correct answer for each of the questions.

(1) 谁第一个见到吉玛?

a. 杰夫　　b. 戴伟

(2) 杰夫为什么不跟戴伟一起去找吉玛?

a. 不好意思　　b. 太远了

(3) 吉玛为什么喜欢珍珠湖?

a. 这里比北京漂亮　　b. 这里的人对她很好

(4) 罗斯先生为什么让戴伟他们来看吉玛？

a. 他觉得吉玛的工作很有意思，也很难，应该帮助她。

b. 他觉得吉玛是个很好的学生，应该让她到外国去学习。

8. “我也喜欢珍珠湖！” (p.43)

根据故事选择正确答案。 Select the correct answer for each of the questions.

(1) 戴伟告诉吉玛他喜欢她了吗？

a. 告诉了　　b. 没有

(2) 杰夫说了吉玛会喜欢他吗？

a. 会　　b. 不会

(3) 秋田到珍珠湖了吗？

a. 到了　　b. 没到

(4) 谁给吉玛打电话？

a. 她的男朋友　　b. 秋田

(5) 戴伟说他喜欢……

a. 珍珠湖　　b. 吉玛

综合理解 Global understanding

读完故事，一个学生给老师写了下面的信，但他的信中有错，请把他的错误找出来并改正。 After reading this story, a reader wrote the following email to his teacher. But obviously there are mistakes in it. Can you find the mistakes and correct them?

今天的这个故事 (gùshi, story) 有点儿意思。戴伟、杰夫和秋田是大学同学。他们都喜欢一个中国女孩，都要第一个找到那个女孩，第一个对那个女孩说“我喜欢你”。戴伟想让那个女孩喜欢自己，从北京带了很多书给她；秋田要先见到那个女孩，所以到了昆明以后自己开车去找他，可是他的车在丽江开到水里去了；杰夫没有什么东西给那个女孩，他就找商店买了礼物。最后，他们才知道那个女孩有了男朋友了。

练习答案

1. 一个女孩的照片

(1) a (2) b (3) b (4) b (5) c
(6) b

2. 我一定要找到她……

(1) No (2) No (3) No (4) Yes (5) Yes

3. 照片上的女孩在哪里

(1) b (2) d (3) e (4) a (5) c
(6) f

4. 秋田不见了

(1) 坐车去珍珠湖要六百块钱，是秋田、戴伟和杰夫三个人给的。
(2) 秋田想最先见到那个女孩，他一个人坐车去了珍珠湖。
(3) 杰夫觉得珍珠湖太远，走着去太累，但是他还是跟着戴伟去了。

5. 带书给那个女孩

(1) a (2) b (3) a (4) a (5) b
(6) b (7) a (8) a

6. 请现在就带我去见她！

(1) Yes (2) No (3) Yes (4) Yes (5) No

7. “我还想告诉你……”

(1) b (2) a (3) b (4) a

8. “我也喜欢珍珠湖!”(p. 23)

(1) b (2) b (3) b (4) a (5) a

综合理解 Global understanding

今天的这个故事（gūshi, story）有点儿意思。戴伟、杰夫和秋田是大学同学。他们都喜欢一个中国女孩，都要第一个找到那个女孩，第一个对那个女孩说“我喜欢你”。戴伟想帮助那个女孩，从珍珠湖的山下带了很多书给她；秋田要先见到那个女孩，所以到了丽江以后自己坐车去找他，可是他的车在去珍珠湖的路上开到水里去了；杰夫没有什么东西给那个女孩，他问珍珠湖有没有商店可以买礼物。最后，他们才知道那个女孩有了男朋友了。

《汉语风》系列读物其他分册内容简介

《汉语风》全套共8级60余册，自2007年11月起由北京大学出版社于三年内陆续出版。下面是已经出版或近期即将出版的各册简介。请访问《汉语风》专门网站 www.hanyufeng.com (英文版 www.chinesebreeze.com.cn）或北京大学出版社网站（www.pup.cn）关注最新的出版动态。

Hànyǔ Fēng (*Chinese Breeze*) series consists of over 60 titles at eight language levels. They are to be published in succession in three years since November 2007 by Peking University Press. For most recently released titles, please visit the *Chinese Breeze* (Hànyǔ Fēng) website at www.chinesebreeze.com.cn (or www.hanyufeng.com for its Chinese version) or the Peking University Press website at www.pup.cn.

第1级：300词级
Level 1: 300 Word Level

两个想上天的孩子

Two children seeking the Joy Bridge

“叔叔，在哪里买飞机票？”

“小朋友，你们为什么来买飞机票？要去旅行吗？”

“不是。我们要到天上去。”

……

这两个要买飞机票的孩子，一个7岁，一个8岁。没有人知道，他们为什么想上天？这两个孩子也不知道，在他们出来以后，有人给他们的家里打电话，让他们的爸爸妈妈拿钱去换他们呢……

“Sir, where is the air-ticket office?”

“You two kids come to buy air-tickets? Are you gonna travel somewhere?”

“Nope. We just wanna go up to the Joy Bridge.”

“The Joy Bridge?”

...

Of the two children at the airport to buy air-tickets, one is 7 and the other is 8. Beyond their wildest imaginings, after they ran away, their parents were called by some crooks who demanded a ransom to get them back! And of course, nobody knows the location of the Joy Bridge that the two children intend to go see.

错，错，错！

Wrong, wrong, wrong!

6月8号，北京。一个漂亮的小姐在家里死了，她身上有一封信，说："我太累了，我走了。"下面写的名字是"林双双"。双双有一个妹妹叫对对，两人太像了，别人都不知道哪个是姐姐，哪个是妹妹…… 死了的小姐是双双，对对到哪里去了？死了的小姐是对对，为什么信上写的是"林双双"？

June 8. Beijing. A pretty girl lies dead on the floor of her luxury home. A slip of paper found on her body reads,"I'm tired. Let me leave..." At the bottom of the slip is a signature: Lin Shuang-shuang.

Shuang-shuang has a twin-sister called Dui-dui. The two girls look so similar that others can hardly tell who's who. Is the one who died really Shuang-shuang? Then where is Dui-dui? If the one who died is Dui-dui as someone claimed, then why is the signature on the slip Lin Shuang-shuang?

我可以请你跳舞吗?

Can I dance with you?

一个在银行工作的男人，跟他喜欢的女孩子刚认识，可是很多警察来找他，要带他走，因为银行里的10,000,000块钱不见了，有人说是他拿走的。

但是，拿那些钱的不是他，他知道是谁拿的。可是，他能找到证据吗？这真太难了。还有，以后他还能和那个女孩子见面吗?

A smart young man suddenly gets into big trouble. He just fell in love with a pretty girl a few days ago, but now the police are at his home and want to arrest him. The bank he works for lost 10 million dollars, and the police list him as a suspect.

Of course he is not the robber! He even knows who did it. But can he find evidence to prove it to the police? It's all just too much. Also, will he be able to see his girlfriend again?

向左向右

Left and right: the conjoined brothers

向左和向右是两个男孩子的名字，爸爸妈妈也不知道向左是哥哥还是向右是哥哥，因为他们连在一起，是一起出生的连体人。他们每天都一起吃，一起住，一起玩。他们常常都很快乐。有时候，弟弟病了，哥哥帮他吃药，弟弟的病就好了。但是，学校上课的时候，他们在一起就不方便了……

Left and Right are two brothers. Even their parents don’t know who is older and who is younger, as they are Siamese twins. They must do everything together. They play together, eat together, and sleep together. Most of the time they enjoy their lives and are very happy. When one was sick, the other helped his brother take his medicine and he got better. However, it’s no fun anymore when they sit in class together but one brother dislikes the other’s subjects...

中关村的故事

The story of Zhongguancun

谢红去了外国，她是方新真爱的人，可是方新不想去外国，因为他要在中关村做他喜欢的工作。小月每天来看方新，她是真爱方新、也能帮方新的人，可是方新还是想着谢红。方新真不知道应该怎么办……

Xie Hong, Fang Xin’s tru love, has gone abroad to fulfill her dream. But Fang Xin only wants to stay in Zhongguancun in Beijing doing work that he enjoys. Xiao-yue comes to visit Fang Xin every day. She is the one who really understands Fang Xin. She loves him and can offer him the help that he badly needs. But only Xie Hong is in Fang Xin’s mind. What should Fang Xin do? He seems to be losing his way in life...